Pour Splat

Ce livre est dédié à Mum, Dan, Nan et Liz...
... et à tous ces amis, dans nos vies,
qui nous encouragent à faire mieux.

Qui est votre Harry Souris à vous ?

Un merci tout spécial à Maria.

Titre original : Splat says Thank you © 2012 by Rob Scotton

Publié avec l'accord de Harper Collins Children's Books, une division de Harper Collins Publisher Inc.

Traduction de Rose-Marie Vassallo.
Édition française : © Éditions Nathan 2013.
Éditions Nathan, 25 avenue Pierre de Coubertin, 75013 Paris.
ISBN : 978-2-09-254655-0
N° d'éditeur : 10190115

Loi n° 49-956 du 16 juillet 1949 sur les publications destinées
à la jeunesse, modifiée par la loi n° 2011-525 du 17 mai 2011.

Dépôt légal : mai 2013
Imprimé en France par Pollina, 85400 Luçon - L64443.

Rob Scotton

Coin!

Splat est inquiet : depuis ce matin,
Harry Souris fait grise mine.
Il est couvert de petits points roses
et ne se sent pas très bien.
– Ça ne va pas du tout, se dit Splat.
Comment rendre le sourire à Harry ?

Splat tire un livre de son tiroir et le montre à Harry.

– Regarde, dit Splat, je l'ai fait pour toi.
Je l'ai appelé *Le Livre des mercis*.

Splat ouvre le livre. Harry éternue un bon coup.

Splat tourne la page et commence à lire à voix haute.

« Le jour où j'avais très peur de faire un essai pour la pièce de théâtre de l'école, tu m'as encouragé à essayer.

Merci, Harry ! »

« Et quand Mme Miouffett m'a donné le rôle principal, jamais je n'aurais pu retenir mon texte sans toi.

Merci, Harry ! » continue Splat.

« Et quand, en voyant Froutch, j'ai ri si fort que j'ai oublié ce que je devais dire...

Merci, Harry ! »

Splat jette un coup d'œil à Harry.
On dirait qu'il va sourire.
Mais non. À la place, il éternue.

Splat continue à lire.

« Le jour où j'ai cassé le bibelot préféré de Maman,
c'est toi qui l'as réparé.

Et même si Maman s'en est aperçue,
et m'a envoyé au bain et au lit sans dîner...

merci, Harry ! »

« Et quand, dans mon bain, je me suis coincé l'orteil dans le robinet, c'est toi qui m'a sauvé.

Merci, Harry ! »

« Et quand je me suis retrouvé au lit bien trop tôt,
tu m'as apporté une lampe pour que je puisse lire un peu. »

« Et le lendemain matin, alors que je dormais profondément, c'est toi qui m'as réveillé pour que j'arrive à l'heure à l'école.

Merci, Harry ! »

« Lorsque j'ai emprunté le cerf-volant de mon frère, c'est grâce à toi qu'on s'est bien amusé.

Merci, Harry ! »

« Et ensuite, quand je suis allé chercher
le cerf-volant dans l'arbre
et que je ne savais plus redescendre...

... c'est toi qui es venu à mon secours.

Merci, Harry ! »

Splat regarde Harry.
Cette fois, il va *sûrement* sourire.
Mais non...
Harry a le hoquet !
Splat continue à lire.

« Quand j'étais dans ma fusée, en route
pour la Lune, et que j'allais être
le premier chat à y poser le pied...

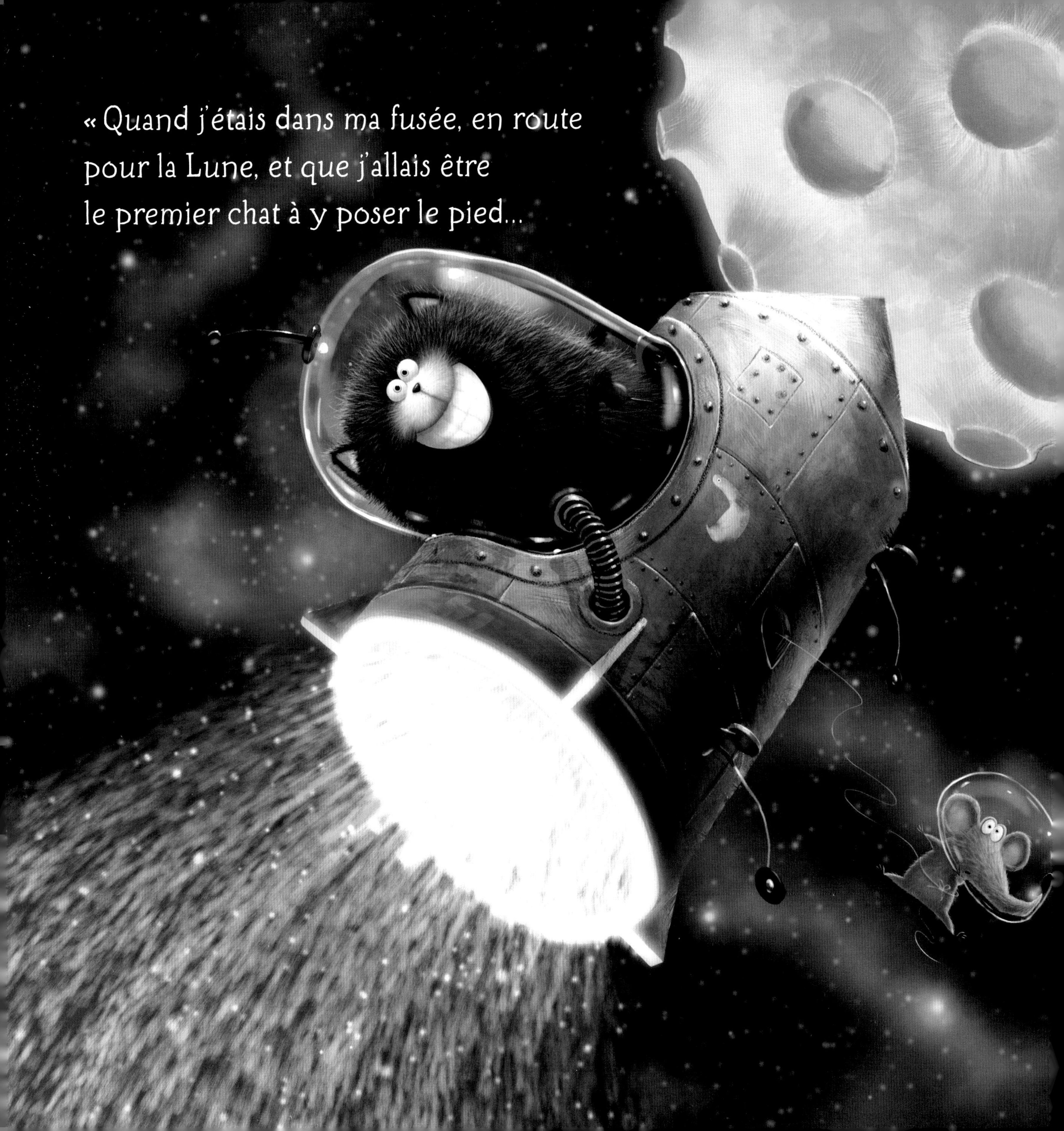

… mais que Grouff m'a dépassé, tu m'as crié :

– Accélère ! Un chat de l'espace ne renonce jamais !

... Alors, j'ai accéléré.

Merci, Harry ! »

Splat regarde Harry. Harry bouge un peu.
Cette fois, il va sourire ! Pas du tout.
Harry se gratte l'oreille....

Splat continue à lire.

« Un jour, je t'ai confié mon plus grand secret,

et tu ne l'as répété à personne.

Merci, Harry ! »

« Et le jour où Grouff a donné à Kattie
une carte plus grande que la mienne,
c'est toi qui as su me consoler.

Merci, Harry ! »

« Lorsque ma petite sœur était couverte de points roses,
et qu'elle ne se sentait pas bien du tout,
c'est toi qui lui as rendu le sourire.

Merci, Harry ! »

« Et lorsque j'étais couvert de points roses,
et que je ne me sentais pas bien du tout,
c'est toi qui m'as rendu le sourire.

Merci, Harry ! »

« Tu es le plus petit de mes amis,
et en même temps, tu es le plus grand !

Alors, voilà, je voulais seulement te dire...

merci,
Harry ! »